Thanksgiving Word Search

35 Fun, Themed, Large-Print Puzzles for Kids and Adults

Dylanna Press

Apples

```
L U J Y V D U M E V S U W E L
C D H S O T N I C M L M J E V
J K O R C H A R D T X T K F Y
G R E E N Z O T S D E E S G T
Q N E T J K B U E W R B N D E
G R A N N Y S M I T H I E C I
L E Q D H S B Z O K K C K I R
K P G K K S J Q V N U F O T A
R X I A Q E U R U A P S A S V
W F D C Y A R D S M N T J E S
E M U G K G P E T U M R J V L
R L B P W I L P Z Z P U E R I
O G A I F P N N L N M D G A C
C K K E P Z A G G Q E L L N H E
M Y S A T G V F C M S E I W S
```

APPLES   GREEN   PIE

APPLESAUCE   HARVEST   SEEDS

CORE   MCINTOSH   SLICES

DUNKING   ORCHARD   STRUDLE

GRANNY SMITH   PICKING   VARIETY

Autumn

```
O R X Q C I G F A P S S K F T
A R A K E X L K H Q S E I G A
Q T Z M C S L H R Y E E I H B
B E Q R E Y A C I U N R H F S
L U U V J G F H O L K T Y M W
P G A U K C G I A F R G C X E
C E E C O Q R L I N A R Z L A
L A T N E E I L A T D P B K T
D D T K H F Z Y G U G S B Q E
Z P A T D W Y B L S T S L H R
H L A P Z H R U V B T U Q G W
D E N I A R R H Q N L O M U X
W U N H A R V E S T N V R N V
W P N R N E E W O L L A H M G
O K K S I R B O W P T R S B S
```

AUTUMN	HALLOWEEN	STORMS
BRISK	HARVEST	SWEATER
CHILLY	LEAVES	TREES
DARKNESS	RAIN	WEATHER
FALL	RAKE	

Cold Weather

```
I  J  M  C  E  S  W  B  Y  Z  E  E  R  B  W
F  R  Y  J  Y  Y  N  W  C  G  Z  G  N  T  H
O  S  L  E  E  C  I  C  N  M  V  N  O  M  Z
E  T  W  W  Z  X  I  H  R  Q  Y  I  R  R  A
M  I  B  H  F  O  A  O  K  L  C  Z  T  P  G
A  Q  R  P  H  R  T  I  L  T  C  E  H  S  C
U  U  I  O  S  S  I  I  E  Y  Z  E  E  I  O
T  E  S  Y  W  C  H  G  V  T  G  R  A  R  L
W  D  K  O  E  C  K  B  I  C  Y  F  S  C  D
S  E  N  V  E  V  J  N  C  D  P  R  T  Z  S
D  S  A  S  E  I  R  R  U  L  F  I  E  Q  G
T  F  E  T  N  N  W  I  N  T  R  Y  R  P  D
Q  Z  L  A  H  B  F  R  O  S  T  Y  H  N  P
X  L  Z  F  X  E  I  C  T  J  G  J  I  F  B
R  N  D  W  A  O  R  M  L  H  D  W  U  F  O
```

BREEZY	FLURRIES	NORTHEASTER
BRISK	FREEZING	SNOWSTORM
CHILLY	FRIGID	WEATHER
COLD	FROSTY	WIND
CRISP	ICE	WINTRY

Colonies

```
H L C O N N E C T I C U T G S
X W Q A I N A V L S Y N N E P
J I X X S Y A I N I G R I V E
M A S S A C H U S E T T S K R
X T N C R P P J C E Z K D L I
W T A H H M L Y H Q Y N O T H
N H S A O N F Y P P A N E E S
W R E R D R E C M L N R Z R P
O L I T E B M W Y O A Y S R M
T M N E I M N R J W U O F I A
S B O R S V A W A E J T A T H
E I L U L M O L Z K R U H O W
M S O U A K E Z S D I S Z R E
A X C B N D S R G U T G E Y N
J I F P D K N E W Y O R K Y I
```

CHARTER   MARYLAND   PENNYSLVANIA

COLONIES   MASSACHUSETTS   PLYMOUTH

CONNECTICUT NEW HAMPSHIRE RHODE ISLAND

DELAWARE   NEW JERSEY   TERRITORY

JAMESTOWN   NEW YORK   VIRGINIA

Cooking

```
P R E H E A T B V X H N Y X D
M W Y N H L L V R X K S T F E
G N I K A B L L C A S T G O G
L R M V T B I P L T I N G W O
V C Z K O O R P N C O S R H X
E O P Y X I G E I M L M E Q D
S O O S E L I E A M L E D J G
A K H M O D K E O N I O A J D
U I C H E Q T I I R C G A N E
T N T R A S V I T F K L S D H
E G G Q S P K P H C M K X Z S
K N O T O G V I I E H K Q S A
I P R E M M I S W U O E B T M
X G K N K W T A R G G B N Q W
M V L U V U X X L F R Y I N G
```

BAKING	COOKING	MASHED
BOIL	FRYING	PREHEAT
BRAISE	GRILL	SAUTE
CHOP	INGREDIENTS	SIMMER
CLEAN	KITCHEN	STEAM

Corn

```
U  M  Z  P  D  N  D  A  E  R  B  N  R  O  C
X  N  A  U  O  R  Y  Q  F  P  X  S  N  E  X
H  R  M  I  M  G  L  W  W  A  D  F  L  P  E
T  W  G  C  Z  C  C  Y  P  X  D  B  Z  G  T
O  G  U  W  A  E  I  V  Z  N  A  P  K  F  A
R  R  X  P  O  R  C  C  I  T  A  V  S  S  V
T  I  A  S  R  H  F  A  E  E  D  V  P  Y  I
I  N  J  J  I  Q  R  G  R  U  I  T  I  I  T
L  D  M  M  S  G  E  E  V  U  V  R  H  O  L
L  E  J  U  X  V  D  J  T  L  X  H  C  L  U
A  R  K  S  F  P  O  P  C  O  R  N  R  T  C
P  G  N  N  X  F  T  H  M  J  D  F  A  H  X
J  V  R  O  K  G  I  D  O  U  D  L  E  I  F
O  Z  E  O  J  V  G  N  G  R  I  T  S  F  W
G  F  N  U  W  Y  Q  C  S  Y  J  Y  M  D  C
```

CHIPS	GRAIN	MUFFINS
CORNBREAD	GRINDER	POPCORN
CROP	GRITS	REAP
CULTIVATE	GROW	TORTILLA
FIELD	MAIZE	VEGETABLE

Crops

```
R N E B S C U L J S W O A D C
H I Z S E B Y G P D S B T Z E
F B C M O A J O U X H S A P S
L J C E E Y R I U J W A E Y L
S N A E B C B A L I D F H H I
T O M X Z K G E G G O F W E T
N S T U N A E P A C Y L O M N
M I L L E T U P C N V O F H E
C Z B U X H M A N T S W G Z L
O J A S Q W B A M J H E D E W
A Z R I Y O E K I J R R V P Y
T I L H T E J I X Z I U M Q J
S B E C J Y K R B O E N A V N
Y C Y Q B B V E A L F A L F A
S D F M C O R N J V K R B I W
```

ALFALFA	LENTILS	RICE
BARLEY	MAIZE	SAFFLOWER
BEANS	MILLET	SOYBEANS
CORN	OATS	TOBACCO
CROPS	PEANUTS	WHEAT

Desserts

```
B S S D A E R B N I K P M U P
X E M G B E K A C M U F U M D
I I W R F X C H O C O L A T E
D N E H Y C R U M B L E A D D
E W K M I B C C R A V E V U I
S O A F K P K O L B R R S A C
S R C A A P P L O A F T N Y E
E B E B E P I E U K E L L M C
R M S Y L N P Q D E I W A T R
T M E I A J S L W C P E Y N E
S C E V K N T S E F R Q S Q A
G N H N O Y U G A P J E Z W M
X W C M Z H Z I F B I W A K I
M E E Q K R M E H R K E U M H
Z L S P G N I D D U P Z L J U
```

APPLE PIE	COOKIES	PUDDING
BROWNIES	CRUMBLE	PUMPKIN BREAD
CAKE	DESSERTS	SWEETS
CHEESECAKE	ICE CREAM	VANILLA
CHOCOLATE	LEMON SQUARE	WHIPPED CREAM

Drinks

```
Q E V P F I W C D R E Y J P X
J D M T G T L E O E N R U R R
F A A D O S G M I C E L I B I
I N T N L B O X P D K D C R I
K O S K N I R D I B R T E I I
Z M M X N D E C G E E A K Q
U E E U E J E S M V L J D I L
P L Y W L L C G C E O E L D L
T O B S P L V R U R O R H E R
Z N X P A F E B X A C R F E C
P K A I V O S D K G E V T T U
U E Q K O E Q T W E N A O W H
N E G G N O G D J S W Z Y F E
C V M F H H E L A R E G N I G
H H O T C H O C O L A T E O C
```

APPLE CIDER EGGNOG MULLED

BEVERAGES GINGER ALE PUNCH

COCKTAIL HOT CHOCOLATE SODA

COOLER JUICE WATER

DRINKS LEMONADE

Family

```
Q P R E H T O M F Q P H Z Z R
Q R C M G R A N D F A T H E R
M E C R S E F B S B N W L X G
Z H L E I G O A P A O J A E Y
D T Z H S F K Z M A S O V B T
A O Y T T L W N B I R A D H J
U M J A E E E C L Y L E G G S
G D T F R K W U C O B Y N G J
H N R E H T O M P E T S N T N
T A O B R O T H E R E I J I S
E R P L V F P F T L L A S Z V
R G F I N K D U C B C U X O Q
U H M W I C Y N I W O J Z K A
A I D N S M U S U C P U B Z E
Q I L X D W K T N U A Y B Q Y
```

AUNT	FATHER	SIBLINGS
BROTHER	GRANDFATHER	SISTER
COUSIN	GRANDMOTHER	SON
DAUGHTER	MOTHER	STEPMOTHER
FAMILY	PARENTS	UNCLE

Five

S	R	C	O	Y	R	E	M	B	E	R	S	R	C	N
I	Y	I	A	G	N	I	Z	A	L	B	C	H	W	L
Y	Q	S	U	R	K	L	E	B	A	M	O	E	L	H
H	I	S	M	A	T	C	H	E	S	Q	A	E	K	T
B	K	K	M	Z	Y	T	S	A	O	T	L	O	Z	I
J	H	C	A	O	K	V	E	I	Z	G	S	O	I	N
K	T	A	N	H	K	I	Z	F	E	G	K	M	G	D
D	M	M	I	N	Q	E	N	M	T	Y	H	N	S	E
A	R	P	C	O	C	I	A	D	F	G	I	Z	K	R
L	A	I	W	M	Q	L	Z	B	L	L	X	W	R	M
L	W	N	J	Z	F	W	Y	M	K	I	M	T	A	X
T	O	G	W	H	E	J	P	C	J	E	N	Q	P	S
Q	N	G	Z	Y	M	Q	A	L	R	C	S	G	S	O
K	H	C	S	U	N	R	O	I	N	R	V	M	S	J
C	C	U	L	S	C	V	F	I	S	Y	F	T	E	I

BLAZING	FIRE	SMOKE
CAMPING	FLAME	SPARKS
COALS	KINDLING	TINDER
CRACKLING	LOGS	TOASTY
EMBERS	MATCHES	WARMTH

Foods

```
P U M P K I N H N G A J C A S
D I N N E R S N N B X U R I A
Q J T Q Y A Q I K U Y C A J L
Y Q F V U C F G K Z J S N Z A
F J A Q Z F H X O S Z S B K D
W R S L U R H O O C Y D E L D
G C Z T M E P T P A I O R M E
F W S C J Z H F U P F O R J H
C H H P L I F H V R E F I X S
G M X D U T M W B A K D E W A
Q L Y R P E H M J B V E S D M
P K O P B P K I B I Q U Y M K
G M X I V P T L N Y W Y H E J
J S E E R A G X S N O I N O K
P R U X G T R E S S E D B N L
```

APPETIZER	FOODS	PUMPKIN
CHOPPED	GRAVY	SALAD
CRANBERRIES	MASHED	SQUASH
DESSERT	ONIONS	STUFFING
DINNER	PIE	TURKEY

Football

S	L	L	A	B	T	O	O	F	P	F	P	A	C	J
S	K	F	Z	Z	F	E	A	K	C	L	O	P	Q	P
L	R	I	X	J	B	W	Z	J	Y	L	A	D	D	M
Z	D	E	N	W	O	D	H	C	U	O	T	Y	B	G
O	E	L	H	F	C	G	D	G	C	K	N	M	E	Q
O	F	D	W	U	U	X	N	A	D	C	O	A	G	R
M	E	G	N	C	D	M	R	F	L	A	F	E	V	T
M	N	O	C	X	V	D	B	F	T	B	F	T	T	W
S	S	A	B	U	S	I	L	L	K	R	E	B	F	K
K	E	L	D	N	P	C	C	E	E	E	N	L	F	X
C	G	G	O	A	L	P	O	S	T	T	S	N	O	K
F	I	R	S	T	D	O	W	N	E	R	E	H	K	F
J	D	O	M	H	E	L	M	U	T	A	P	Y	C	I
U	E	N	Z	T	I	L	B	P	I	U	W	M	I	I
S	Y	Y	Q	I	J	R	G	Q	P	Q	D	V	K	U

BLITZ	FUMBLE	OFFENSE
DEFENSE	GOALPOST	PLAYER
FIELD GOAL	HELMUT	QUARTERBACK
FIRST DOWN	HUDDLE	TEAM
FOOTBALL	KICKOFF	TOUCHDOWN

Fruits

```
W  S  M  D  C  J  F  R  Q  S  L  V  C  T  Y
H  E  D  W  N  R  O  N  N  S  X  H  A  R  N
N  M  G  F  G  K  A  O  T  T  W  P  E  U  R
V  I  C  R  X  C  M  N  I  O  A  L  R  Q  E
H  L  N  P  A  M  D  U  B  Q  T  U  R  M  B
X  Z  X  P  I  P  R  L  V  E  D  M  I  U  E
G  R  Z  S  E  F  E  Y  G  M  R  S  E  K  S
T  B  R  O  V  C  G  S  F  S  B  R  S  W  O
Y  E  M  L  E  T  S  K  C  F  V  I  I  B  O
P  E  T  A  N  A  R  G  E  M  O  P  S  E  G
P  H  P  I  N  E  A  P  P  L  E  N  Z  J  S
Q  A  P  P  L  E  S  M  L  H  H  M  R  M  Y
Z  D  S  N  O  M  E  L  M  H  A  Y  Z  V  B
W  B  G  U  A  V  A  R  T  S  R  A  E  P  I
S  B  I  E  W  U  R  T  X  B  J  K  S  Y  Q
```

APPLES	GRAPES	PEARS
CHERRIES	GUAVA	PERSIMMONS
CRANBERRIES	KUMQUAT	PINEAPPLE
FRUITS	LEMONS	PLUMS
GOOSEBERRY	LIMES	POMEGRANATE

Gratitude

```
P Y I U R W N W E Y Z J P V P
J C G E N E R O U S W P U U R
H F D S S E N D N I K J L A
I A P L N O I T I D A R T U Y
A V P C L Q J F T Z X U R F E
L L Z P W U P L Q T E C E K R
T J H B I M P L N T Z N F N B
R M V B W N U A A G C E L A L
U P I P L F E I F J O D E H U
I K L N E E C S T M Z L C T F
S Y G T D E S H S O C O T L Y
M Z A F R F A S D U S H I C O
Z R F P N C U Z E I P E O E J
G Q P N N H W L J D J B N H O
N A I N S P I R A T I O N J E
```

ALTRUISM	GRATEFUL	MINDFUL
APPRECIATE	HAPPINESS	PRAYER
BEHOLDEN	INSPIRATION	REFLECTION
BLESSED	JOYFUL	THANKFUL
GENEROUS	KINDNESS	TRADITION

Harvest

```
A F J G U O D S S I I J N B Y
J J A M S N N I A R G L F B E
F R S R B N A O T C H R E O K
E W V V M I F E A V K H F Z H
S G P D S E E H A R V E S T S
T V A S H G R Q D X P B D N K
I M L A N D H S R X L T I B W
V K L U F I T N E L P K H R L
A A K R R V Y A H Q P N E V P
L W N O U S C E X M S R A G E
C B M T O E D R U X I O B P I
X K V C L A B P O W X C I H K
T U S A F S B R V P N R B S E
R F H R F O P R C H S P R F D
I D U T V N D X W H E A T D A
```

CORN	GRAIN	PUMPKINS
CROPS	HARVEST	RIPE
FARMERS	HAY	SEASON
FESTIVAL	LAND	TRACTOR
FLOUR	PLENTIFUL	WHEAT

Holidays

```
A H A L L O W E E N O S M I Y
O Y A D S T N E D I S E R P X
V B P V E T E R A N S D A Y N
Y A L W H O Y A D R O B A L G
L M L H O L I D A Y S B C N Y
U E V E P T J C C Z R E I G A
J M C E N U F R M E A V O O D
F O U H S T B L V V I Q R O S
O R N W R D I O I G T S E D U
H I E A B I S N S D B F T F B
T A W L I S S K E W Y F S R M
R L Y C A S N T U S U Y A I U
U D E P I A T N M N D M E D L
O A A F H F L P D A L A N A O
F Y R T Z P F Z M G S H Y Y C
```

CHRISTMAS   HALLOWEEN   PASSOVER

COLUMBUS DAY   HOLIDAYS   PRESIDENT'S DAY

EASTER   LABOR DAY   THANKSGIVING

FOURTH OF JULY   MEMORIAL DAY   VALENTINE'S DAY

GOOD FRIDAY   NEW YEAR   VETERAN'S DAY

Mayflower

```
P W T L X T R A V E L R D I U
P A S S E N G E R S R D H D T
G N I S S O R C U Q W I T I C
V N Z Z Z Z F M O V M C U F A
C Y L L R M C A D Q S A O F P
I J F Q B U A N T U G R M I M
L I A S F X A Y O L I G Y C O
J B R N P L F D F L A O L U C
O E F I G C R N A L A N P L W
U H H N L A P L T K O B T T O
R S E U Z X L K G L J W P I H
N F A A C E F K U R U Z E S C
E T H I N V L I V F W F O R T
Y F P F V K T S N A T I R U P
G W O J N H Y K U C A V L C J
```

ATLANTIC	ENGLAND	PLYMOUTH
CARGO	HAZARDOUS	PURITANS
COMPACT	JOURNEY	SAIL
CROSSING	MAYFLOWER	SHIP
DIFFICULT	PASSENGERS	TRAVEL

Months

```
I E N Z C F U C C R X J E R R
S H R M Y A G B E I D N O P Q
D D X F T Z L B I M U E M Y S
C M J G G Z M E F J V I L J J
N J A T B E V C N T D I G W I
T A J R V V M Z C D R M C V R
S N E O C N I Z G P A L A K E
H U N O Z H W S A W D R S Y B
O A D D N O D E C E M B E R M
C R V T E T P U Y R Q D U W E
T Y X S G Y Q Y E A R N B J T
O H R U R L Y R A U R B E F P
B V G G T U Y H I T R U U B E
E D T U Y J R F G S E H Q Z S
R B G A D I S H T N O M P A K
```

APRIL	JANUARY	MONTHS
AUGUST	JULY	NOVEMBER
CALENDAR	JUNE	OCTOBER
DECEMBER	MARCH	SEPTEMBER
FEBRUARY	MAY	YEAR

Native Americans

```
N R N F Q O Z Z J F K J C H K
H A A Z O Y U A R R O W S S W
R S T D O W G A S R O Q M A A
W H I A N C E S T O R S A T H
A Q V P T S N A I D N I I O O
M J E N A M A H S O S F Z C M
P H A B U G J M L Y R B E C I
U L M G C N T B O E X I P U T
M V E L A T E F N C P M B S Q
U E R T A U E I S B C I L E F
G C I O P N C L C L Z A D B V
W N C J S I D H D D T Q S F H
N A A V D L J K G E O I C I A
F D N E K P N Q W S R E R Z N
Z O M A Y Z P G Q X K S K D N
```

ANCESTORS	LAND	NATIVE AMERICAN
ARROWS	MAIZE	PUEBLO
DANCE	MEDICINE	SHAMAN
ELDERS	MOCCASIN	SUCCOTASH
INDIANS	MOHAWK	WAMPUM

New World

```
R Q E G A Y O V D S B L X D D
K M K G V P J M B H I Q M W C
K G I Q P D N E W W O R L D D
D C I Y U G F I X F K M H C E
I G M S I M M I G R A N T S R
S C S R E R O L P X E H S I U
C O P Z T J G Q B A B R S E T
O L M U G R D L C A E N U M N
V O I P R F A I H L Q M B E E
E N Y N J I R V T T R R M U D
R I Y M D E T T E V D Y U R N
Y E I O M I E A O L S M L O I
X S Z A M S A N N I Z J O P G
I O T D O I F N A S V O C E N
C T I G J F K Y S S N L A N D
```

AMERICA	EXPLORERS	NEW WORLD
COLONIES	IMMIGRANTS	PURITANS
COLUMBUS	INDENTURED	SETTLERS
DISCOVERY	INDIANS	TRAVEL
EUROPE	LAND	VOYAGE

Orange

```
E F O R A N G E S C N U S N S
P A S O N I V E F K N E U E W
U L Z W Z M O N M O J X N S P
O L T O E G F C D O I I N T X
L L O A N E N N C E T W Z A X
A E I A P G T W Z N J E I U R
T A M I G U S P E W H L N Q T
N V R J K T M M O Z I B N M G
A E W R O C E P H T J Z I U Y
C S Y R B L L G K E A G A K N
C T R T C A Z B P I C T S T W
Z A T U R M E R I C N O O S S
C L H G O L D F I S H S G E O
C S T O C I R P A L W V B Y S
W A S E N I R E G N A T C G P
```

APRICOTS	GOLDFISH	SUN
CANTALOUPE	KUMQUATS	SWEET POTATOES
CARROTS	MANGOES	TANGERINES
CLEMENTINES	ORANGE	TURMERIC
FALL LEAVES	PUMPKINS	ZINNIAS

Parades

```
C H I L D R E N L B E U T J Y
G G B H T E E R T S M C U J N
C E F S U P E O P L E S T Q U
D B A N D S A G G T D N O Q F
L U F R O L O C P W E P T N C
N Y B Q Z D B S O M K T K O A
G S K A S W R R N D N H K I M
K T O T L I C I W A U W A T H
U A N U F L A L I C S P P A Y
T O M N M T O G N A I A K R B
F L Q I R A R O G R N R V B Q
R F Q E O I C M N B G A Z E V
S M T P Y V H Y I S E D G L U
X N H E B M V G S T R E Q E O
E S D V E C I F C T S R C C Y
```

BALLOONS	CROWDS	MACY'S
BANDS	ENTERTAINMENT	PARADE
CELEBRATION	FLOATS	PEOPLE
CHILDREN	FUN	SINGERS
COLORFUL	GIANT	STREET

Party

```
F E S T I V I T Y B W C Y X N
Z S O I R E E A L A G F D H R
X S G U Y B V I C C U V I F T
I H F Q A Y B G G B W O N P C
B I J K F Q U G I A C N N U B
A N B Y R L E V E R O Y E E B
L D M A P A O E I I A N R S T
P I W E D A E K T C H O E A V
O G F J R L R A N D I M F E F
O R M E I R R T E T F E C A F
H D K B A B I T Y Q A R H L X
U R U I E S E M B V D E E V C
L J E L H F T E E H F C I M F
H Q E C W Z E O A N Q U L F L
L C T E U Q N A B B T O G L Z
```

BANQUET	FESTIVITY	MERRIMENT
CELEBRATION	FETE	PARTY
CEREMONY	GALA	REVELRY
DINNER	HOOPLA	SHINDIG
FEAST	JUBILEE	SOIREE

Pilgrims

```
C Z Q N D S R E L I G I O N F
F V H Y G N I R E F F U S P E
G O I L L N E S S J P Z S F X
Y Y A E T F A S W R Z S R A H
R A O O A T L B E A T E E I P
I G G L P R E I V S P G L T I
P E V J I E T H I H A A T H L
F S Y G P N N T G Z B L T M G
Q L U Y O U A G V T D L E Y R
N J I R R R R L L I E I S R I
G R F M A O J I Z A P V H T M
T R C P P X D M T N N L U E S
L B E V S B O Y S A L D X N R
K S E C N A T S I D N Q G O W
P Y D H X C S W G O O S W V G
```

BOYS	GIRLS	SEPARATISTS
DISTANCE	ILLNESS	SETTLERS
ENGLAND	PILGRIMS	SUFFERING
FAITH	PURITANS	VILLAGE
FRONTIER	RELIGION	VOYAGE

Pumpkins

```
T S E E D S E T E K R A M R R
J A V L U M P Z G Y Q C Z S C
C K R N S S E K A C N A P R C
N H B J B C O O K I E S Z N L
S I G A A P T N N L J T T P X
V V Q W K C Z W D Z N N P U D
W I D G A E K Y Q E V B X M E
B N H H S V K O E B T R U P Y
X E Y R S J R W L G X E Q K H
H S Y R C P O S N A H A W I T
C B E D V L B I P F N D W N L
T V D R L I V A Q R N T B S A
A Y E A I R E H M N O F E E E
P C H G A S G U N G R U I R H
Q Q C C Z B H Q T Z O P T F N
```

BAKE	HEALTHY	PIE
BREAD	JACK O LANTERN	PUMPKINS
CARVING	MARKET	SEEDS
COOKIES	PANCAKES	SPROUT
HALLOWEEN	PATCH	VINES

Shopping

```
S Z B T O Y S E C O N L I N E
I J L H X K N R O U T L E T Y
G S A J S C T O N K A W T K Y
B U C M A L L T Q G V K S U E
U B K Q D E H S S G N Q I F B
T I F Q T L L T E S P K L G O
O X R C U E H N R O R J H I U
D U I Z H C V E O N E G S F T
F D D Q B T L M T W S N I T I
M P A U C R C T S Z E I W S Q
S O Y A W O T R P Y N P A Q U
U P N V J N T A G P T P R I E
B F E E H I D P L I S O G D Z
U E L N Y C L E U V D H K G C
H F C O D S A D J R G S H T E
```

BLACK FRIDAY	MALL	SHOPPING
BOUTIQUE	MONEY	SPEND
DEPARTMENT STORE	ONLINE	STORES
ELECTRONICS	OUTLET	TOYS
GIFTS	PRESENTS	WISH LIST

Spices

```
K D A B E Q R E P P E P C B N
S C N C A Y E N N E Y I K S O
C X H G W A H Z G R K E E Q M
U P K D H O Q D A Q M V N W A
E V S A G E P M Z Y O Y Q J N
C P G K T L E G H L Q I U N N
A P E L U S F T C Y Y L P S I
M L M T O S A F F R O N A P C
E X T R L F O P B F C Z P I M
N O U F Q D Y R F J V V R C T
E S N I G I Q C E E F C I E W
C I R E M R U T S G N G K S G
A A V M P L B E T E A N A O W
U X P R V V P H V L Y N E E P
P W P U J X G U U T K K O L W
```

CAYENNE	NUTMEG	SAFFRON
CINNAMON	OREGANO	SAGE
CLOVES	PAPRIKA	SPICES
FENNEL	PEPPER	THYME
MACE	ROSEMARY	TURMERIC

Table

```
U B Q B Y D L M S N I K P A N
Z P U W C E N T E R P I E C E
I S T E L B O G D I V N P F X
D I W Y T A B L E B E K Y O W
Z E U C A N D L E S R H P Y F
W P C V A T H S A B A B T M L
T C V O D C E C A U W B M I O
R M B G R H H U M T R G P F W
E R T C S A R I E W E K L X E
N N W I R E T U N M V S A Y R
N B D U H Y Q I V A L D C D S
U A J C I U S F O A I K E G G
R R T Z O K R T Q N S Z M I D
H I K B C E J N A G S S A U G
P A A A G U D D U L X E T P M
```

BOUQUET	DECORATIONS	PITCHER
CANDLES	DISHES	PLACEMAT
CENTERPIECE	FLOWERS	RUNNER
CHINA	GOBLETS	SILVERWARE
CRYSTAL	NAPKINS	TABLE

Towns

```
F C O N C O R D T Q O H P J Q
Q L I Q K E K R B W R U R P C
B I Y C F H O B C S X O O Z A
F N W K L P G A F U Z M V H M
U C Y A W J B F F Z J H I T D
T O T E Q W U O C U E P N U E
N L N G A L O K S D L Z C O N
O N U H B C D O K T D O E M R
T F Z K H S A O D Z O Q T Y X
G P A U N G P M D S Q N O L F
N O M W B X H C V Q T V W P Q
I O O C R E V O N A H O N H J
X T S A N D W I C H X M C T A
E N I W S O R L E A N S H K F
L G P T E N W O T S E M A J A
```

BOSTON	LEXINGTON	PLYMOUTH
CAMDEN	LINCOLN	PROVINCETOWN
CONCORD	NEWPORT	SANDWICH
HANOVER	OAK BLUFFS	TOWNS
JAMESTOWN	ORLEANS	WOODSTOCK

Traditions

```
L M K S Y A D I L O H J E U F
S S T R O P S F O L K L O R E
A P M S E P I C E R S G T S F
E D C A V X R E D F P J R V J
G T L E P A T A E Z W H A K V
A L W L L J L I F R D N D J L
T Q R A E E L U D V O V I S R
I C S U X E B O E I D I T X H
R U M T B F O R G S G W I E G
E I O I P F X I A R C Q O Z L
H S T R H G L H E T T Y N H Z
W I S J F E S M I V I U S B B
T N U D R J F A B M S O E K M
R E C I J R I D K T I F N T N
E A C U L T U R E U G O R S S
```

BELIEFS	FOLKLORE	RELIGION
CELEBRATIONS	FOOD	RITUAL
CUISINE	HERITAGE	SPORTS
CULTURE	HOLIDAYS	TRADITIONS
CUSTOMS	RECIPES	VALUES

Turkey

```
K V P U I Z A D T G Z W P P W
R L R O L L S B F K S I P O K
O C B I C B R D Y T G Y U T Y
L D R U M S T I C K N V E A G
L U E N K S E D S H I L O T N
C L H V L Q T U U L W A K O I
H A W S Z G O U R L F A E E T
N Y R L U I R V F W Y V E S S
O Z B V C G E A Z F K N O B A
Z T U I E R T F V O I V V T O
Y G L L E B S W O Y S N K U R
G E G N P T A C F K H P G R F
D E N F H K B Z E U I Q G K W
X I E N O B H S I W H I F E Q
D N T A E M K R A D W V S Y Q
```

BASTE	DINNER	ROLLS
CARVE	DRUMSTICK	STUFFING
COOK	GRAVY	TURKEY
DARK MEAT	POTATOES	WINGS
DELICIOUS	ROASTING	WISHBONE

Vegetables

```
K T O M A T O E S U N R O C K
B U L E E K S O Y A L B U G S
X R V S E L B A T E G E V P C
H A U O V W P E P S B M C C H
C W G S J W G J N I R Z R A M
Q B B A S A W A M B O W S U S
J D F V B E E J U W C G E L M
E Z H B H B L Y V D C T O I O
W R A J N S S S U M O L T F O
T C S E M J K P P X L U A L R
B V E A U A F O I R I N T O H
R R Y R K L L E D N O R O W S
G D O N D W J Y K B A U P E U
J H S A U Q S R X A L C T R M
G N B P E A S E Z G U K H S Y
```

BROCCOLI	GREEN BEANS	SPINACH
BRUSSEL SPROUTS	LEEKS	SQUASH
CABBAGE	MUSHROOMS	TOMATOES
CAULIFLOWER	PEAS	VEGETABLES
CORN	POTATOES	YAMS

Warm Clothes

```
C F J R G L Y W O I Z R J A M
M O A Q S T N A P U W A F K V
H T A O C G R Y L D P E H J Y
V S W E A T P A N T S W N T C
B E B T Y O G J E Q U R U L U
J O E T M P S L G X J E Z J E
A I O I H E A N V P Q D T S L
C X O T V E I R K H L N Q K I
K P Z O S H R N K O J U L C F
E C L G T R K M O A Z G P O L
T G W O J X C W A R J N A S E
Y T L H O O D I E L V O G Y E
Z C Z J D J W V J X L L G B C
P Y X C R F X F M G W M O J E
B C A P U C R E T A E W S D L
```

BOOTS	HOODIE	SOCKS
CLOTHING	JACKET	SWEATER
COAT	LONG UNDERWEAR	SWEATPANTS
FLEECE	PANTS	THERMAL
GLOVES	PARKA	WOOL

Yard Work

```
S M O L L X D T X F U B P W F
R P N C Q F Y O H K R T C O L
Q K E S O G U T T E R S Q O T
W R S J H M X E J P L A P A O
B O O T E E P P B L E V O H S
X W H O W X D O Y E K A R Q R
L D R O S W U S S D Z E A Z L
M R A L T K S P S T B V L W U
L A B S D E Q R N V H C L U M
Q Y I X G X V I O E D G E R O
M R X D Q G R N B I G L O L L
W I E A H J E K H L L T H I W
F H A F L C W L C O I Z O M D
X R V K R W O E A I S S M W V
J W Z C S T M R R L A W N X H
```

COMPOST	LAWN	SHOVEL
EDGER	MOWER	SOIL
GUTTERS	MULCH	SPRINKLER
HEDGES	RAKE	TOOLS
HOSE	SHED	YARDWORK

Answers

APPLES	GREEN	PIE
APPLESAUCE	HARVEST	SEEDS
CORE	MCINTOSH	SLICES
DUNKING	ORCHARD	STRUDLE
GRANNY SMITH	PICKING	VARIETY

AUTUMN	HALLOWEEN	STORMS
BRISK	HARVEST	SWEATER
CHILLY	LEAVES	TREES
DARKNESS	RAIN	WEATHER
FALL	RAKE	

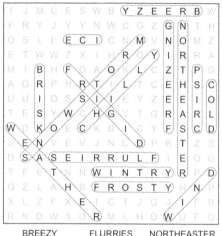

BREEZY	FLURRIES	NORTHEASTER
BRISK	FREEZING	SNOWSTORM
CHILLY	FRIGID	WEATHER
COLD	FROSTY	WIND
CRISP	ICE	WINTRY

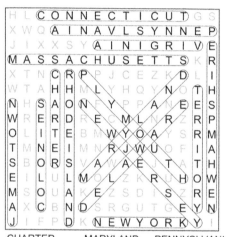

CHARTER	MARYLAND	PENNYSLVANIA
COLONIES	MASSACHUSETTS	PLYMOUTH
CONNECTICUT	NEW HAMPSHIRE	RHODE ISLAND
DELAWARE	NEW JERSEY	TERRITORY
JAMESTOWN	NEW YORK	VIRGINIA

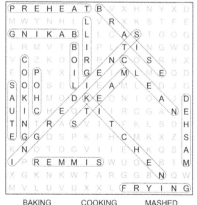

BAKING	COOKING	MASHED
BOIL	FRYING	PREHEAT
BRAISE	GRILL	SAUTE
CHOP	INGREDIENTS	SIMMER
CLEAN	KITCHEN	STEAM

CHIPS	GRAIN	MUFFINS
CORNBREAD	GRINDER	POPCORN
CROP	GRITS	REAP
CULTIVATE	GROW	TORTILLA
FIELD	MAIZE	VEGETABLE

ALFALFA	LENTILS	RICE
BARLEY	MAIZE	SAFFLOWER
BEANS	MILLET	SOYBEANS
CORN	OATS	TOBACCO
CROPS	PEANUTS	WHEAT

APPLE PIE	COOKIES	PUDDING
BROWNIES	CRUMBLE	PUMPKIN BREAD
CAKE	DESSERTS	SWEETS
CHEESECAKE	ICE CREAM	VANILLA
CHOCOLATE	LEMON SQUARE	WHIPPED CREAM

APPLE CIDER	EGGNOG	MULLED
BEVERAGES	GINGER ALE	PUNCH
COCKTAIL	HOT CHOCOLATE	SODA
COOLER	JUICE	WATER
DRINKS	LEMONADE	

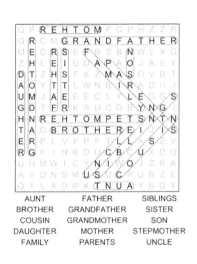

AUNT	FATHER	SIBLINGS
BROTHER	GRANDFATHER	SISTER
COUSIN	GRANDMOTHER	SON
DAUGHTER	MOTHER	STEPMOTHER
FAMILY	PARENTS	UNCLE

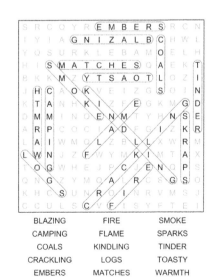

BLAZING	FIRE	SMOKE
CAMPING	FLAME	SPARKS
COALS	KINDLING	TINDER
CRACKLING	LOGS	TOASTY
EMBERS	MATCHES	WARMTH

APPETIZER	FOODS	PUMPKIN
CHOPPED	GRAVY	SALAD
CRANBERRIES	MASHED	SQUASH
DESSERT	ONIONS	STUFFING
DINNER	PIE	TURKEY

BLITZ	FUMBLE	OFFENSE
DEFENSE	GOALPOST	PLAYER
FIELD GOAL	HELMUT	QUARTERBACK
FIRST DOWN	HUDDLE	TEAM
FOOTBALL	KICKOFF	TOUCHDOWN

APPLES	GRAPES	PEARS
CHERRIES	GUAVA	PERSIMMONS
CRANBERRIES	KUMQUAT	PINEAPPLE
FRUITS	LEMONS	PLUMS
GOOSEBERRY	LIMES	POMEGRANATE

ALTRUISM	GRATEFUL	MINDFUL
APPRECIATE	HAPPINESS	PRAYER
BEHOLDEN	INSPIRATION	REFLECTION
BLESSED	JOYFUL	THANKFUL
GENEROUS	KINDNESS	TRADITION

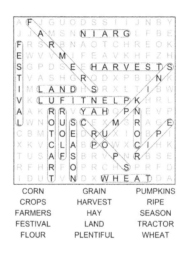

CORN	GRAIN	PUMPKINS
CROPS	HARVEST	RIPE
FARMERS	HAY	SEASON
FESTIVAL	LAND	TRACTOR
FLOUR	PLENTIFUL	WHEAT

CHRISTMAS	HALLOWEEN	PASSOVER
COLUMBUS DAY	HOLIDAYS	PRESIDENT'S DAY
EASTER	LABOR DAY	THANKSGIVING
FOURTH OF JULY	MEMORIAL DAY	VALENTINE'S DAY
GOOD FRIDAY	NEW YEAR	VETERAN'S DAY

ATLANTIC	ENGLAND	PLYMOUTH
CARGO	HAZARDOUS	PURITANS
COMPACT	JOURNEY	SAIL
CROSSING	MAYFLOWER	SHIP
DIFFICULT	PASSENGERS	TRAVEL

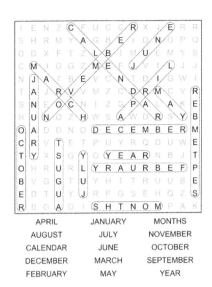

APRIL	JANUARY	MONTHS
AUGUST	JULY	NOVEMBER
CALENDAR	JUNE	OCTOBER
DECEMBER	MARCH	SEPTEMBER
FEBRUARY	MAY	YEAR

ANCESTORS	LAND	NATIVE AMERICAN
ARROWS	MAIZE	PUEBLO
DANCE	MEDICINE	SHAMAN
ELDERS	MOCCASIN	SUCCOTASH
INDIANS	MOHAWK	WAMPUM

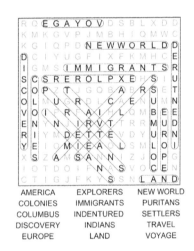

AMERICA	EXPLORERS	NEW WORLD
COLONIES	IMMIGRANTS	PURITANS
COLUMBUS	INDENTURED	SETTLERS
DISCOVERY	INDIANS	TRAVEL
EUROPE	LAND	VOYAGE

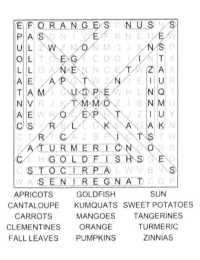

APRICOTS	GOLDFISH	SUN
CANTALOUPE	KUMQUATS	SWEET POTATOES
CARROTS	MANGOES	TANGERINES
CLEMENTINES	ORANGE	TURMERIC
FALL LEAVES	PUMPKINS	ZINNIAS

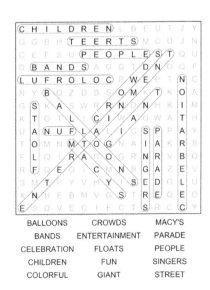

BALLOONS	CROWDS	MACY'S
BANDS	ENTERTAINMENT	PARADE
CELEBRATION	FLOATS	PEOPLE
CHILDREN	FUN	SINGERS
COLORFUL	GIANT	STREET

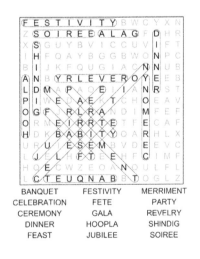

BANQUET	FESTIVITY	MERRIMENT
CELEBRATION	FETE	PARTY
CEREMONY	GALA	REVELRY
DINNER	HOOPLA	SHINDIG
FEAST	JUBILEE	SOIREE

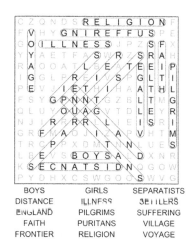

BOYS	GIRLS	SEPARATISTS
DISTANCE	ILLNESS	SETTLERS
ENGLAND	PILGRIMS	SUFFERING
FAITH	PURITANS	VILLAGE
FRONTIER	RELIGION	VOYAGE

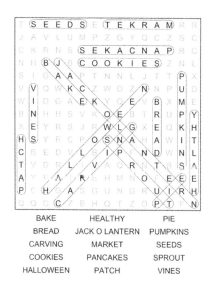

BAKE	HEALTHY	PIE
BREAD	JACK O LANTERN	PUMPKINS
CARVING	MARKET	SEEDS
COOKIES	PANCAKES	SPROUT
HALLOWEEN	PATCH	VINES

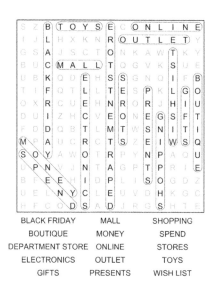

BLACK FRIDAY	MALL	SHOPPING
BOUTIQUE	MONEY	SPEND
DEPARTMENT STORE	ONLINE	STORES
ELECTRONICS	OUTLET	TOYS
GIFTS	PRESENTS	WISH LIST

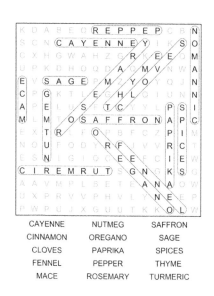

CAYENNE	NUTMEG	SAFFRON
CINNAMON	OREGANO	SAGE
CLOVES	PAPRIKA	SPICES
FENNEL	PEPPER	THYME
MACE	ROSEMARY	TURMERIC

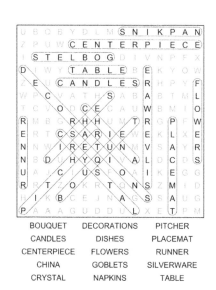

BOUQUET	DECORATIONS	PITCHER
CANDLES	DISHES	PLACEMAT
CENTERPIECE	FLOWERS	RUNNER
CHINA	GOBLETS	SILVERWARE
CRYSTAL	NAPKINS	TABLE

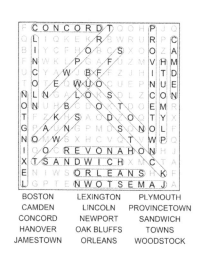

BOSTON	LEXINGTON	PLYMOUTH
CAMDEN	LINCOLN	PROVINCETOWN
CONCORD	NEWPORT	SANDWICH
HANOVER	OAK BLUFFS	TOWNS
JAMESTOWN	ORLEANS	WOODSTOCK

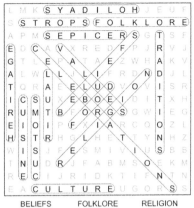

BELIEFS   FOLKLORE   RELIGION

CELEBRATIONS   FOOD   RITUAL

CUISINE   HERITAGE   SPORTS

CULTURE   HOLIDAYS   TRADITIONS

CUSTOMS   RECIPES   VALUES

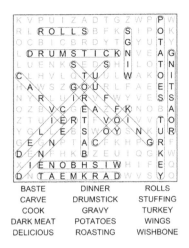

BASTE   DINNER   ROLLS

CARVE   DRUMSTICK   STUFFING

COOK   GRAVY   TURKEY

DARK MEAT   POTATOES   WINGS

DELICIOUS   ROASTING   WISHBONE

BROCCOLI   GREEN BEANS   SPINACH

BRUSSEL SPROUTS   LEEKS   SQUASH

CABBAGE   MUSHROOMS   TOMATOES

CAULIFLOWER   PEAS   VEGETABLES

CORN   POTATOES   YAMS

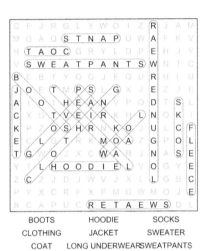

BOOTS   HOODIE   SOCKS

CLOTHING   JACKET   SWEATER

COAT   LONG UNDERWEAR   SWEATPANTS

FLEECE   PANTS   THERMAL

GLOVES   PARKA   WOOL

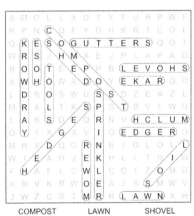

COMPOST   LAWN   SHOVEL

EDGER   MOWER   SOIL

GUTTERS   MULCH   SPRINKLER

HEDGES   RAKE   TOOLS

HOSE   SHED   YARDWORK

Made in the USA
Coppell, TX
20 October 2020